GW00669883

Le
Livre
de
Poche
Jeunesse

Après vous, M. de La Fontaine...

Contrefables

Gudule

Anne Duguël, dite Gudule, est née à Bruxelles en 1945.
Après des études d'arts déco en Belgique, elle passe cinq ans comme journaliste au Moyen-Orient. Revenue en France, elle collabore à divers magazines et fait de la radio, animant notamment une émission sur la bande dessinée. Elle écrit aujourd'hui pour les adultes et la jeunesse. Ses romans rencontrent un immense succès et ont souvent été couronnés de prix.

Du même auteur :

- Zoé la trouille (4 tomes)
- Barbès Blues
- La bibliothécaire
- La vie à reculons
- L'envers du décor
- La fille au chien noir
- T'es une sorcière, maman ?
- Ne vous disputez jamais avec un spectre

GUDULE

Après vous, M. de La Fontaine...

Contrefables

Avant-Propos

Les Fables de La Fontaine ont de tout temps passionné les enfants pour le bestiaire intimiste qu'elles déploient, et les adultes pour les réflexions qu'elles suscitent. Cette double lecture leur a assuré un succès que les siècles n'ont pas affaibli. Mais la parole du moraliste, pour éternelle qu'elle soit, véhicule parfois des concepts dont notre siècle ne peut se satisfaire. Petite, je souffrais du sort ingrat réservé aux plus faibles, dans ces textes. Par une suite en forme d'hommage, j'ai voulu, aujourd'hui, rendre justice aux victimes d'une tradition quelque peu contestable. Corbeaux, cigales, agneaux, belettes et petits lapins, c'est à vous que je dédie ces pages.

L'Auteur

Le Corbeau et le Renard

Maître Corbeau, sur un arbre perché,
Tenait en son bec un fromage.
Maître Renard, par l'odeur alléché,
Lui tint à peu près ce langage :
« Hé ! bonjour, Monsieur du Corbeau.
Que vous êtes joli ! que vous me semblez beau !
Sans mentir, si votre ramage
Se rapporte à votre plumage,
Vous êtes le phénix des hôtes de ces bois. »
À ces mots le Corbeau ne se sent pas de joie ;
Et pour montrer sa belle voix,
Il ouvre un large bec, laisse tomber sa proie.
Le Renard s'en saisit, et dit : « Mon bon Monsieur,
Apprenez que tout flatteur
Vit aux dépens de celui qui l'écoute :
Cette leçon vaut bien un fromage, sans doute. »
Le Corbeau, honteux et confus,
Jura, mais un peu tard, qu'on ne l'y prendrait plus.

Ayant un long moment médité l'aventure
Le Corbeau s'envola, avec l'espoir ténu
De dénicher dans la nature
Quelque chiche aliment à mettre à son menu.
Il scrutait la forêt, sous lui, lorsque soudain
Des coups de fusil retentissent.
Renard, surpris en plein festin,
Lâche son camembert et dans un trou se glisse.
« Oh oh ! dit le Corbeau, l'occasion est trop belle ! »
Sur le fromage, il fond à tire-d'aile
Et dans les airs l'emporte sans tarder.
Juste à temps ! La main sur la gâchette
Cherchant à repérer de Goupil la cachette
Apparaît l'homme armé.
Mais du gibier qu'il traque il ne trouve point trace
Par son larcin, Corbeau, sans le savoir,
Bredouille, le chasseur abandonne la chasse..
A sauvé la vie du fuyard.
Tout penaud, le Renard sort alors de son antre
Et devant le Corbeau qui se remplit le ventre
Constate en soupirant : « Je vais jeûner, ce soir ! »
Mais l'autre calmement descend de son perchoir
Et posant sur le sol ce qui reste du mets
Invite son compère à se joindre au banquet.
« Tu es rusé, dit-il, et moi je fends l'espace,

Ensemble nous formons un duo efficace.
Plutôt que de chercher l'un l'autre à nous voler
Pourquoi ne pas nous entraider ? »
Honteux et confus, le Renard
De la proposition admit le bien-fondé,
Jurant, mais un peu tard,
D'exercer désormais la solidarité.

Le Lièvre et la Tortue

Rien ne sert de courir ; il faut partir à point :
Le Lièvre et la Tortue en sont un témoignage.
« Gageons, dit celle-ci, que vous n'atteindrez point
Sitôt que moi ce but — Sitôt ? Êtes-vous sage ?
Repartit l'animal léger :
Ma commère, il vous faut purger
Avec quatre grains d'ellébore.
— Sage ou non, je parie encore. »
Ainsi fut fait ; et de tous deux
On mit près du but les enjeux :
Savoir quoi, ce n'est pas l'affaire,
Ni de quel juge l'on convint.
Notre Lièvre n'avait que quatre pas à faire,
J'entends de ceux qu'il fait lorsque, prêt d'être atteint,
Il s'éloigne des chiens, les renvoie aux calendes,
Et leur fait arpenter les landes.
Ayant, dis-je, du temps de reste pour brouter,
Pour dormir et pour écouter
D'où vient le vent, il laisse la tortue
Aller son train de sénateur.

Elle part, elle s'évertue,
Elle se hâte avec lenteur.
Lui cependant méprise une telle victoire,
Tient la gageure à peu de gloire,
Croit qu'il y va de son honneur
De partir tard. Il broute, il se repose,
Il s'amuse à toute autre chose
Qu'à la gageure. À la fin, quand il vit
Que l'autre touchait presque au bout de la carrière
Il partit comme un trait ; mais les élans qu'il fit
Furent vains : la Tortue arriva la première.
« Eh bien ! lui cria-t-elle, avais-je pas raison ?
De quoi vous sert votre vitesse ?
Moi l'emporter ! et que serait-ce
Si vous portiez une maison ? »

À peu de temps de là, dame Tortue arpente
Par un gai matin de printemps
Une forêt. Elle a le cœur content,
Respire ici ou là telle herbe, telle plante,
Musarde, se complaît, prend un vif agrément
À parcourir les sentes,
Bénissant le retour de la belle saison.
À son insu des bûcherons,
Non loin, usent de la cognée.
En grand danger d'être écrasée

Par un arbre abattu
La pécore balourde
(Ai-je omis d'annoncer qu'elle était un peu sourde ?)
Poursuit son trot menu.
Sur les hauteurs, à quelque deux cents toises,
Le Lièvre prend le frais
Et regarde d'un œil distrait
La clairière que l'on déboise.
Soudain, cahin-caha, il avise Commère.
(Sous la hache va choir un arbre centenaire
Qui dans un instant l'atteindra.)
Averti du danger, il détale, et voilà
Qu'à toutes jambes l'animal
Se hâte vers le lieu fatal.
Il y parvient en moins d'une seconde,
Et sans prendre loisir
D'expliquer ses raisons, s'empresse de saisir
Au collet cette vagabonde
Pour la tirer dans le fossé.
Juste à temps ! Le géant terrassé
S'effondre, mais point ne la tue.
Reconnaissante, la Tortue
Du coquin loua la vélocité.

Chaque être a ses talents. S'il sait les exploiter
À bon escient, il fait du bel ouvrage.
L'un est rêveur mais performant,

L’autre a peu de capacités, mais du courage.
Quels que soient ses enjeux et son tempérament
Il y a ici-bas un rôle pour chacun
Pour peu qu’il sache agir au moment opportun.

La Cigale et la Fourmi

La Cigale ayant chanté
Tout l'été,
Se trouva fort dépourvue
Quand la bise fut venue :
Pas un seul petit morceau
De mouche ou de vermisseau.
Elle alla crier famine
Chez la Fourmi sa voisine,
La priant de lui prêter
Quelque grain pour subsister
Jusqu'à la saison nouvelle.
« Je vous paierai, lui dit-elle,
Avant l'Oût, foi d'animal,
Intérêt et principal. »
La Fourmi n'est pas prêteuse :
C'est là son moindre défaut.
« Que faisiez-vous au temps chaud ?
Dit-elle à cette emprunteuse.
— Nuit et jour à tout venant
Je chantais, ne vous déplaise !

— Vous chantiez ? j'en suis fort aise
Eh bien ! dansez maintenant. »

Tournant le dos à sa voisine avare
La tête basse et l'estomac dans les talons
La Cigale s'en fut en traînant sa guitare
À travers hameaux et vallons.
La neige recouvrit bientôt les feuilles mortes.
Mais la déshéritée eut beau frapper aux portes
Supplier haut et fort
Qu'on daignât lui jeter un peu de nourriture,
Rien n'y fit. Malgré la froidure
Tous l'abandonnent à son sort.
« Il ne me reste plus qu'à attendre la mort ! »
Se désole la malheureuse, « mais avant
Je veux, dans un dernier effort
Arracher à mon instrument
Ses plus pathétiques accords.
Cet ultime concert sera mon testament. »
Et voilà que s'élève au cœur de la tourmente
Une plainte si émouvante
Si belle, si sauvage et si triste à la fois
Qu'elle tire tous les bourgeois
De leur léthargie égoïste.
L'un d'eux sort de chez lui, criant : « Bravo, l'artiste ! »
Un à un, ô merveille,

S’ouvrent les huis ; l’on prête oreille
Au chant de la cigale.
On écoute, on s’émeut, on pleure, on se régale,
Et les sous de pleuvoir,
Preuve qu’on apprécie un si beau désespoir.

Quand avec apparat la misère s’exprime
Elle acquiert du public les faveurs unanimes :
Gosier mélodieux n’implore pas en vain.
Mais il est tant de gens qui ne savent pas geindre
Qu’on ne devine pas, en croisant leur chemin,
Qu’ils sont seuls, démunis, qu’ils ont froid, qu’ils ont
[faim.
Les pauvres sans talent sont bien les plus à plaindre !

Le Chat, la Belette et le petit Lapin

Du palais d'un jeune Lapin
Dame Belette, un beau matin,
S'empara : c'est une rusée.
Le maître étant absent, ce lui fut chose aisée.
Elle porta chez lui ses pénates, un jour
Qu'il était allé faire à l'Aurore sa cour
Parmi le thym et la rosée.
Après qu'il eut brouté, trotté, fait tous ses tours,
Janot Lapin retourne aux souterrains séjours.
La Belette avait mis le nez à la fenêtre.
« O Dieux hospitaliers ! que vois-je ici paraître ?
Dit l'animal chassé du paternel logis.
Holà ! Madame la Belette,
Que l'on déloge sans trompette,
Ou je vais avertir tous les Rats du pays. »
La dame au nez pointu répondit que la terre
Était au premier occupant.
« C'était un beau sujet de guerre
Qu'un logis où lui-même il n'entrait qu'en rampant.
Et quand ce serait un royaume,
Je voudrais bien savoir, dit-elle, quelle loi

En a pour toujours fait l'octroi
À Jean, fils ou neveu de Pierre ou de Guillaume,
Plutôt qu'à Paul, plutôt qu'à moi ! »
Jean Lapin allégua la coutume et l'usage :
« Ce sont, dit-il, leurs lois qui m'ont de ce logis
Rendu maître et seigneur, et qui, de père en fils,
L'ont de Pierre à Simon, puis à moi, Jean, transmis.
Le premier occupant, est-ce une loi plus sage ?
— Or bien, sans crier davantage,
Rapportons-nous, dit-elle, à Raminagrobis. »
C'était un Chat, vivant comme un dévot ermite,
Un Chat faisant la chattemite,
Un saint homme de Chat, bien fourré, gros et gras,
Arbitre expert sur tous les cas.
Jean Lapin pour juge l'agrée.
Les voilà tous deux arrivés
Devant sa majesté fourrée.
Grippeminaud leur dit : « Mes enfants, approchez,
Approchez, je suis sourd, les ans en sont la cause. »
L'un et l'autre approcha, ne craignant nulle chose.
Aussitôt qu'à portée, il vit les contestants,
Grippeminaud, le bon apôtre,
Jetant des deux côtés la griffe en même temps,
Mit les plaideurs d'accord en croquant l'un et l'autre.

Ceci ressemble fort aux débats qu'ont parfois
Les petits souverains se rapportant aux rois.

Jeannot Lapin avait un frère
Et Belette une sœur.
Ceux-ci, ayant vent de l'affaire,
Se jurent de venger les leurs.
Aussitôt ils prennent les armes.
« Combattons, disent-ils, foin d'inutiles larmes,
Ensemble abattons le tyran,
Qui estourbit des innocents ! »
Ils font bien : puisque ce seigneur
N'est autre qu'un vil prédateur,
Il faut empêcher qu'il ne nuise !
Les voici donc partis, sabre au poing, jusqu'au Chat.
Celui-ci, les voyant, prend peur. Il fait grand cas
Des deux gaillards qu'une fureur commune attise.
Il reconnaît les faits, réclame un jugement
Décent, un procès équitable.
Un magistrat l'envoie en prison pour cent ans,
Ainsi ne pourra-t-il plus nuire à ses semblables.

Quand les petites gens
Plutôt que de se quereller s'unissent
Justice et paix ils rétablissent.
Bon nombre de tyrans l'apprit à ses dépens.

Le Héron

Un jour, sur ses longs pieds, allait je ne sais où,
Le Héron au long bec emmanché d'un long cou.
Il côtoyait une rivière.
L'onde était transparente ainsi qu'aux plus beaux
[jours ;
Ma commère la Carpe y faisait mille tours
Avec le Brochet son compère.
Le Héron en eût fait aisément son profit :
Tous approchaient du bord ; l'oiseau n'avait qu'à
[prendre.
Mais il crut mieux faire qu'attendre
Qu'il eût un peu plus d'appétit :
Il vivait de régime et mangeait à ses heures.
Après quelques moments, l'appétit vint : l'Oiseau,
S'approchant du bord, vit sur l'eau
Des tanches qui sortaient du fond de ces demeures.
Le mets ne lui plut pas ; il s'attendait à mieux,
Et montrait un goût dédaigneux,
Comme le Rat du bon Horace.
« Moi, des tanches ! dit-il, moi, Héron, que je fasse
Une si pauvre chère ? Et pour qui me prend-on ? »
La tanche rebutée, il trouva du goujon.

« Du goujon ! c'est bien là le dîner d'un Héron !
J'ouvrirais pour si peu le bec ! aux Dieux ne plaise ! »
Il l'ouvrit pour bien moins : tout alla de façon
Qu'il ne vit plus aucun poisson.
La faim le prit : il fut tout heureux et tout aise
De rencontrer un limaçon.
Ne soyons pas si difficiles :
Les plus accommodants, ce sont les plus habiles ;
On hasarde de perdre en voulant trop gagner,
Gardez-vous de rien dédaigner.

Il est un genre de personne
Qui de toute leçon aime à tirer profit.
Héron en est. Suite à cette maldonne
D'épaule il change son fusil.
Et le voici, à toute heure, en tout lieu,
Qui mange ce qu'il voit
Sans discernement et sans choix.
Jette-t-il sur un ver les yeux ?
Il l'absorbe. Et sur un mollusque ?
Il s'en régale. Un escargot ? Il le débusque.
Tout lui est bon : crapauds, serpents, cloportes,
Jusqu'aux mets les plus répugnants.
Sitôt trouvés, sitôt engloutis ; de la sorte
Il enfle et se retrouve obèse en un moment.
Son poitrail s'arrondit, son ventre se boursoufle,

Il prend telles ampleurs
Que cet état lui altère le souffle
Et lui éteint l'ardeur.
Un jour, près d'un étang,
Se pose à son côté Commère la Cigogne,
Revenant tout droit d'Orient.
« Mon bon seigneur », dit-elle sans vergogne
(Ces animaux n'ont point d'éducation !)
« Que vous voici devenu rond !
Vous devriez surveiller votre ligne
Car à tant vous goinfrer
Vous allez tantôt trépasser ! »
Mais le Héron s'indigne,
Il réfute le quolibet,
Et à tenir sa langue exhorte l'impudente.
À cet instant, un chasseur apparaît.
Les deux volatiles le tentent,
Surtout le plus replet.
Il ajuste son tir, ce que voyant, Commère
Prend son vol et s'enfuit. Héron n'a mieux à faire
Qu'à l'imiter. Hélas ! Il est trop lourd
Et ne peut décoller. Il finira au four.

Faire feu de tout bois n'est pas toujours de mise
Sachons nous limiter,
Certaine avidité est signe de bêtise.
Dans la modération réside la santé.

Le Savetier et le Financier

Un Savetier chantait du matin jusqu'au soir ;
C'était merveilles de le voir,
Merveilles de l'ouïr ; il faisait des passages,
Plus content qu'aucun des Sept Sages.
Son voisin, au contraire, étant tout cousu d'or,
Chantait peu, dormait moins encor ;
C'était un homme de finance.
Si, sur le point du jour, parfois il sommeillait,
Le Savetier alors en chantant l'éveillait ;
Et le Financier se plaignait
Que les soins de la Providence
N'eussent pas au marché fait vendre le dormir,
Comme le manger et le boire.
En son hôtel il fait venir
Le chanteur, et lui dit : « Or çà, sire Grégoire,
Que gagnez-vous par an ? — Par an ? Ma foi,
[Monsieur,
Dit, avec un ton de rieur,
Le gaillard Savetier, ce n'est point ma manière
De compter de la sorte ; et je n'entasse guère

Un jour sur l'autre : il suffit qu'à la fin
J'attrape le bout de l'année ;
Chaque jour amène son pain.
— Eh bien ! que gagnez-vous, dites-moi, par journée ?
— Tantôt plus, tantôt moins : le mal est que toujours
(Et sans cela nos gains seraient assez honnêtes),
Le mal est que dans l'an s'entremêlent des jours
Qu'il faut chômer ; on nous ruine en fêtes ;
L'une fait tort à l'autre ; et Monsieur le curé
De quelque nouveau saint charge toujours son prône. »
Le Financier, riant de sa naïveté,
Lui dit : « Je vous veux mettre aujourd'hui sur le trône.
Prenez ces cent écus ; gardez-les avec soin,
Pour vous en servir au besoin. »
Le Savetier crut voir tout l'argent que la terre
Avait, depuis plus de cent ans,
Produit pour l'usage des gens.
Il retourne chez lui ; dans sa cave il enserre
L'argent, et sa joie à la fois.
Plus de chant : il perdit la voix,
Du moment qu'il gagna ce qui cause nos peines.
Le sommeil quitta son logis ;
Il eut pour hôtes les soucis,
Les soupçons, les alarmes vaines ;
Tout le jour, il avait l'œil au guet ; et la nuit,
Si quelque chat faisait du bruit,
Le chat prenait l'argent. À la fin le pauvre homme

S'en courut chez celui qu'il ne réveillait plus :
« Rendez-moi, lui dit-il, mes chansons et mon somme,
Et reprenez vos cent écus. »

Le Financier, hélas ! ne voulut rien entendre.
« Pensez, dit-il, à l'avenir.
Si la sérénité était un jour à vendre
Avec ces cent écus, vous pourriez l'acquérir !
Sur ce, il congédia le Savetier bredouille
Et l'hilarité cependant
Agitait sa bedaine en forme de citrouille.
S'offrir le désarroi d'autrui, quel agrément !
Le Savetier alors, moins bête qu'on ne pense,
Se prend à réfléchir
Et cherche un moyen d'investir
Ses malencontreuses finances.
Ayant projet d'aider, par ce biais, son prochain,
Il organise un grand festin
Auquel sont conviés les pauvres de la ville.
L'agape digne d'un concile
Réunit à sa table un millier d'indigents.
Chacun y prend plaisir immense.
Le vin est bon et coule en abondance,
Sous le haillon la bedaine se tend.
On boit, on mange, on rit, l'on s'amuse et l'on danse.
Après trois jours de cette instance

Du pécule il ne reste rien.
Le Savetier alors retourne à son ouvrage
Et reprend son refrain,
N'ayant plus sou vaillant, mais riche davantage
De l'estime de tous, cet enviable bien.
« Voyez, dit-il au Financier, je suis serein !
L'argent fait le bonheur, pour peu qu'on le partage ! »
L'autre en creva de rage.

Les Animaux malades de la peste

Un mal qui répand la terreur,
Mal que le Ciel en sa fureur
Inventa pour punir les crimes de la terre,
La Peste (puisqu'il faut l'appeler par son nom),
Capable d'enrichir en un jour l'Achéron,
Faisait aux Animaux la guerre.
Ils ne mouraient pas tous, mais tous étaient frappés :
On n'en voyait point d'occupés
À chercher le soutien d'une mourante vie ;
Nul mets n'excitait leur envie ;
Ni loups ni renards n'épiaient
La douce et l'innocente proie ;
Les tourterelles se fuyaient :
Plus d'amour, partant plus de joie.
Le Lion tint conseil, et dit : « Mes chers amis,
Je crois que le Ciel a permis
Pour nos péchés cette infortune.
Que le plus coupable de nous
Se sacrifie aux traits du céleste courroux ;
Peut-être il obtiendra la guérison commune.

L'histoire nous apprend qu'en de tels accidents,
On fait de pareils dévouements.
Ne nous flattons donc point ; voyons sans indulgence
L'état de notre conscience.
Pour moi, satisfaisant mes appétits gloutons,
J'ai dévoré force moutons.
Que m'avaient-ils fait ? Nulle offense ;
Même il m'est arrivé quelquefois de manger
Le berger.
Je me dévouerai donc, s'il le faut : mais je pense
Qu'il est bon que chacun s'accuse ainsi que moi :
Car on doit souhaiter, selon toute justice,
Que le plus coupable périsse.
— Sire, dit le Renard, vous êtes trop bon roi ;
Vos scrupules font voir trop de délicatesse.
Eh bien ! manger moutons, canaille, sotte espèce,
Est-ce un péché ? Non, non. Vous leur fîtes, Seigneur,
En les croquant, beaucoup d'honneur ;
Et quant au berger, l'on peut dire
Qu'il était digne de tous maux,
Étant de ces gens-là qui sur les animaux
Se font un chimérique empire. »
Ainsi dit le Renard ; et flatteurs d'applaudir.
On n'osa trop approfondir
Du Tigre, ni de l'Ours, ni des autres puissances,
Les moins pardonnables offenses.
Tous les gens querelleurs, jusqu'aux simples mâtins,

Au dire de chacun, étaient de petits saints.
L'Âne vint à son tour, et dit : « J'ai souvenance
Qu'en un pré de moines passant,
La faim, l'occasion, l'herbe tendre, et, je pense,
Quelque diable aussi me poussant,
Je tondis de ce pré la largeur de ma langue.
Je n'en avais nul droit puisqu'il faut parler net. »
À ces mots, on cria haro sur le Baudet.
Un Loup, quelque peu clerc, prouva par sa harangue
Qu'il fallait dévouer ce maudit animal,
Ce pelé, ce galeux, d'où venait tout leur mal.
Sa peccadille fut jugée un cas pendable.
Manger l'herbe d'autrui ! quel crime abominable !
Rien que la mort n'était capable
D'expier son forfait : on le lui fit bien voir.

Selon que vous serez puissant ou misérable,
Les jugements de cour vous rendront blanc ou noir.

Quelques-uns, par bonheur, hurlent à l'injustice.
Un Singe vert, parmi les plus atteints du mal
Mais que cette sentence hérisse,
Interpelle le tribunal :
« Vous agissez, Seigneurs, de façon bien légère.
En condamnant, pour ses menus forfaits,
Le plus humble de vos sujets.

L'accusé que voici sert de bouc émissaire.
Ce simulacre de procès
N'est, je vous en réponds, qu'un infâme artifice
Destiné à tromper le peuple sans malice
Et à le rassurer.
Les cieux ne sont pour rien dans cette maladie !
Quelles que soient leurs mœurs ou leur couleur de
[peau
Vilipender les marginaux
Relève de l'hypocrisie !
Plutôt que gaspiller dans de vaines manœuvres
Vos forces, votre temps, le budget national,
Ne vaudrait-il pas mieux, messieurs, tout mettre en
[œuvre
Pour combattre le mal ? »
La justesse de ce discours
Trouble les membres de la Cour.
De toute accusation lavé
L'Âne est aussitôt relâché.
Et le Lion de déclarer d'une voix ample :
« Je mets dès cet instant ma fortune et mes biens
Au service de la recherche, et j'entends bien
Qu'on suive mon exemple ! »
Ayant ainsi parlé, il se lève et salue.
On applaudit, les dons affluent.
Des savants aussitôt se mettent en devoir
D'isoler le virus. Ainsi renaît l'espoir.

Inventer un coupable est souvent plus facile
Que rechercher les bonnes solutions.
L'exclusion arbitraire et la condamnation
Sont les armes des imbéciles.

Le Loup et l'Agneau

La raison du plus fort est toujours la meilleure :
Nous l'allons montrer tout à l'heure.

Un Agneau se désaltérait
Dans le courant d'une onde pure.
Un Loup survient à jeun, qui cherchait aventure,
Et que la faim en ces lieux attirait.
« Qui te rend si hardi de troubler mon breuvage ?
Dit cet animal plein de rage :
Tu seras châtié de ta témérité.
— Sire, répond l'Agneau, que Votre Majesté
Ne se mette pas en colère ;
Mais plutôt qu'elle considère
Que je me vas désaltérant
Dans le courant,
Plus de vingt pas au-dessous d'Elle ;
Et que par conséquent, en aucune façon,
Je ne puis troubler sa boisson.
— Tu la troubles, reprit cette bête cruelle ;
Et je sais que de moi tu médis l'an passé.

— Comment l'aurais-je fait si je n'étais pas né ?
Reprit l'Agneau ; je tette encor ma mère.
— Si ce n'est toi, c'est donc ton frère.
— Je n'en ai point. — C'est donc quelqu'un des tiens ;
Car vous ne m'épargnez guère,
Vous, vos bergers, et vos chiens.
On me l'a dit : il faut que je me venge. »
Là-dessus, au fond des forêts
Le Loup l'emporte, et puis le mange,
Sans autre forme de procès.

Ayant perpétré son forfait
Le loup s'endormit, satisfait,
Se croyant à l'abri de toute représaille.
Mais le berger l'avait surpris.
Il alla quérir son fusil
Et de trois coups de crosse éveilla la canaille.
« Pitié, épargnez-moi ! dit le loup en pleurant,
J'ai mal agi, je me repens,
La faim est mon unique excuse.
Si vous daignez me pardonner
Je vous serai tout dévoué. »
Cet homme est bon, et le tueur que tout accuse
L'attendrit malgré lui.
« Te corrigeras-tu, si je cède, gredin ?
— Je vous promets que oui.

— Deviendras-tu végétarien ?
— Je le jure. » Il le fit.
À dater de ce jour, l'animal sanguinaire
Par le remords saisi
S'attache aux pas du berger tutélaire
Et de légumes se nourrit.
Jamais troupeau n'eut chien plus vigilant
Ni berger gardien plus soumis.

Il est d'affreuses gens
Dont une main tendue a changé l'existence.
Quoi qu'un vain peuple en pense,
Peine de mort est un vil châtiment.
Quand il remplace la vengeance,
Le pardon transforme souvent
En compagnon fidèle un ennemi d'antan.

La Laitière et le Pot au lait

Perrette, sur sa tête ayant un Pot au lait
Bien posé sur un coussinet,
Prétendait arriver sans encombre à la ville.
Légère et court vêtue, elle allait à grands pas,
Ayant mis, ce jour-là, pour être plus agile,
Cotillon simple et souliers plats.
Notre laitière ainsi troussée
Comptait déjà dans sa pensée
Tout le prix de son lait, en employait l'argent ;
Achetait un cent d'œufs, faisait triple couvée :
La chose allait à bien par son soin diligent.
« Il m'est, disait-elle, facile
D'élever des poulets autour de ma maison ;
Le renard sera bien habile
S'il ne m'en laisse assez pour avoir un cochon.
Le porc à s'engraisser coûtera peu de son ;
Il était, quand je l'eus, de grosseur raisonnable :
J'aurai, le revendant, de l'argent bel et bon.
Et qui m'empêchera de mettre en notre étable,
Vu le prix dont il est, une vache et son veau,

Que je verrai sauter au milieu du troupeau ? »
Perrette là-dessus saute aussi, transportée :
Le lait tombe ; adieu veau, vache, cochon, couvée.
La dame de ces biens, quittant d'un œil marri
Sa fortune ainsi répandue,
Va s'excuser à son mari,
En grand danger d'être battue.
Le récit en farce en fut fait ;
On l'appela le Pot au lait
Quel esprit ne bat la campagne ?
Qui ne fait châteaux en Espagne ?
Picrochole, Pyrrhus, la Laitière, enfin tous,
Autant les sages que les fous.
Chacun songe en veillant, il n'est rien de plus doux :
Une flatteuse erreur emporte alors nos âmes ;
Tout le bien du monde est à nous,
Tous les honneurs, toutes les femmes.
Quand je suis seul, je fais au plus brave un défi ;
Je m'écarte, je vais détrôner le Sophi ;
On m'élit roi, mon peuple m'aime ;
Les diadèmes vont sur ma tête pleuvant :
Quelque accident fait-il que je rentre en moi-même,
Je suis gros Jean comme devant.

Devant le pot brisé et le lait répandu
Perrette se désole. « Hélas, j'ai tout perdu ! »

Geint-elle en voyant à ses pieds
La blanche flaque s'étaler.
Soudain, des herbes du talus
Surgit un petit chat perdu.
Il s'approche en tremblant, c'est le lait qui l'attire,
Et lape avec tant de ferveur
Que malgré sa douleur
La laitière en émoi se surprend à sourire.
« Je t'adopte, dit-elle. À défaut de troupeau,
De bétail, de vaches, de veaux,
De basse-cour, de porcherie,
Tu me tiendras, toi, compagnie. »
Le cœur léger, elle rentre au logis.
« Point n'apporte de sous, dit-elle à son mari,
Mais un être à chérir que m'ont offert les cieux.
N'est-ce pas plus précieux ? »

La fortune a mille visages,
L'argent n'est que l'un d'eux, et non pas le meilleur.
Tendresse, amour, estime ont une autre valeur,
Savoir les apprécier est le propre des sages.

Le Loup et la Cigogne

Les loups mangent gloutonnement.
Un Loup donc étant de frairie
Se pressa, dit-on, tellement
Qu'il en pensa perdre la vie :
Un os lui demeura bien avant au gosier.
De bonheur pour ce Loup, qui ne pouvait crier,
Près de là passe une Cigogne.
Il lui fait signe ; elle accourt.
Voilà l'opératrice aussitôt en besogne.
Elle retira l'os ; puis, pour un si bon tour,
Elle demanda son salaire.
« Votre salaire ? dit le Loup :
Vous riez, ma bonne commère !
Quoi ? ce n'est pas encor beaucoup
D'avoir de mon gosier retiré votre cou ?
Allez, vous êtes une ingrate :
Ne tombez jamais sous ma patte. »

Se retirant pleine de dignité,
Ma commère chercha moyen de se venger
Du rustre qui l'avait, de la sorte, éconduite.
Le ciel lui en fournit l'occasion par la suite
En permettant que maître Loup
Fût pris dans le licou
D'un malencontreux piège, et pendu dans l'espace.
Il se débat, il hurle : « À l'aide ! Je trépasse ! »
Passant par là, dame Cigogne accourt
Mais ne lui porte point secours.
À son côté elle se penche, et d'un ton ferme
L'apostrophe en ces termes :
« Jadis vous fûtes bien ingrat
Aussi débrouillez-vous, ou périssez, qu'importe,
Mais de ce mauvais pas
N'espérez point que je vous sorte. »
Le Loup ne l'entend pas de cette oreille-là :
Il y va de sa vie.
Il implore, il supplie,
Dit qu'on ne regrettera pas
De s'être penché sur son cas,
Assure que dorénavant
Il sera si reconnaissant
Qu'à ses obligations il passera sa vie.
« Me voici à jamais votre esclave, ma mie,
Votre dévoué serviteur »,
Déclare-t-il. Le volatile ayant bon cœur

Fit preuve de miséricorde
Et de son bec trancha la corde
Pour libérer le beau parleur.
Son bienfait cette fois trouva sa récompense
À la vie à la mort ils devinrent amis.

Secourir qui vous a trahi
Est signe de rare indulgence.
Obligés, par simple prudence,
À qui vous tend la main sachez dire merci.

Les deux Pigeons

Deux Pigeons s'aimaient d'amour tendre :
L'un deux, s'ennuyant au logis,
Fut assez fou pour entreprendre
Un voyage en lointain pays.
L'autre lui dit : « Qu'allez-vous faire ?
Voulez-vous quitter votre frère ?
L'absence est le plus grand des maux :
Non pas pour vous, cruel ! Au moins, que les travaux,
Les dangers, les soins du voyage,
Changent un peu votre courage.
Encor, si la saison s'avançait davantage !
Attendez les zéphirs : qui vous presse ? un corbeau
Tout à l'heure annonçait malheur à quelque oiseau.
Je ne songerai plus que rencontre funeste,
Que faucons, que réseaux. « Hélas ! dirai-je, il pleut :
Mon frère a-t-il tout ce qu'il veut,
Bon soupé, bon gîte, et le reste ? »
Ce discours ébranla le cœur
De notre imprudent voyageur ;
Mais le désir de voir et l'humeur inquiète

L'emportèrent enfin. Il dit : « Ne pleurez point ;
Trois jours au plus rendront mon âme satisfaite ;
Je reviendrai dans peu conter de point en point
Mes aventures à mon frère ;
Je le désennuierai. Quiconque ne voit guère
N'a guère à dire aussi. Mon voyage dépeint
Vous sera d'un plaisir extrême.
Je dirai : "J'étais là ; telle chose m'avint" ;
Vous y croirez être vous-même. »
À ces mots, en pleurant, ils se dirent adieu.
Le voyageur s'éloigne ; et voilà qu'un nuage
L'oblige de chercher retraite en quelque lieu.
Un seul arbre s'offrit, tel encor que l'orage
Maltraita le Pigeon en dépit du feuillage.
L'air devenu serein, il part tout morfondu,
Sèche du mieux qu'il peut son corps chargé de pluie
Dans un champ à l'écart voit du blé répandu,
Voit un pigeon auprès : cela lui donne envie ;
Il y vole, il est pris : ce blé couvrait d'un las
Les menteurs et traîtres appas.
Le las était usé ; si bien que, de son aile,
De ses pieds, de son bec, l'oiseau le rompt enfin ;
Quelque plume y périt ; et le pis du destin
Fut qu'un certain vautour, à la serre cruelle,
Vit notre malheureux, qui, traînant la ficelle
Et les morceaux du las qui l'avait attrapé,
Semblait un forçat échappé.

Le vautour s'en allait le lier, quand des nues
Fond à son tour un aigle aux ailes étendues.
Le Pigeon profita du conflit des voleurs,
S'envola, s'abattit auprès d'une masure,
Crut, pour ce coup, que ses malheurs
Finiraient par cette aventure ;
Mais un fripon d'enfant (cet âge est sans pitié)
Prit sa fronde et du coup tua plus d'à moitié
La volatile malheureuse,
Qui, maudissant sa curiosité,
Traînant l'aile et tirant le pié,
Demi-morte et demi-boiteuse,
Droit au logis s'en retourna :
Que bien, que mal, elle arriva
Sans autre aventure fâcheuse.
Voilà nos gens rejoints ; et je laisse à juger
De combien de plaisirs ils payèrent leurs peines.

Amants, heureux amants, voulez-vous voyager ?
Que ce soit aux rives prochaines,
Soyez-vous l'un à l'autre un monde toujours beau,
Toujours divers, toujours nouveau

Plaisons-nous à imaginer
Que l'un des deux pigeons fût une tourterelle
Et qu'au lieu de chercher querelle

À l'aventureux bien-aimé
Elle s'offre à l'accompagner.
On brave d'autant mieux qu'on est deux le danger
Et les difficultés paraissent plus légères !
Les voilà donc partis. La tempête approchant
Aux fourches d'un sarment
Nos gens trouvent abri, se serrent
L'un contre l'autre, et gonflent leur plumage
Pour mutuellement se garder de l'orage.
Celui-ci touchant à sa fin
Ils reprennent la route. Un champ semé de grains
S'offre à eux. Ils ont faim
Et dans leur innocence ignorent
Que ces trompeurs appas masquent piège et collet.
Afin d'attirer plus encore
Les oiseaux de passage, et les prendre au filet,
Au milieu de ce champ, les chasseurs ont posé
La chanterelle à l'aileron rogné.
Cette rivale a l'heur de déplaire à l'amante
Que la jalousie aussitôt tourmente.
« Passons notre chemin, dit-elle, car ce blé
Est de mauvaise qualité. »
Elle entraîne son compagnon
Vers d'autres lieux, mais le soupçon
Ayant élu domicile en son âme,
(Car, pour être pigeonne, on n'en est pas moins
[femme.)

La voici vigilante. Elle a l'œil aux aguets,
Tout lui semble suspect,
Et tandis qu'il déjeune, inspecte l'alentour.
Cette attitude est propre de l'amour
Et nul grief on ne peut lui en faire !)
Tant et si bien qu'elle repère
Le vautour qui s'approche, et l'aigle, et le faucon.
Alors, cette bête alertée
Dit à son époux : « J'ai l'idée
Qu'il faut que nous partions. »
Il proteste mais cède,
Estimant qu'obéir est le meilleur remède
Au féminin caprice. En ce sens, il fait bien :
Quand le prédateur arrive, ils sont loin.
Ils avisent une chaumière
Dont les abords leur paraissent cléments
Et s'y posent. Soudain apparaît un enfant
Qui, les voyant, s'apprête à leur lancer des pierres.
« Ce gredin, s'indigne le pigeon,
Menace ma compagne ! » Avec courage il fond
Sur l'agresseur, et du bec l'égratigne.
Aussitôt le gamin jette son arme et fuit.
Peu après, aux abords d'une vigne
Nos voyageurs fourbus se restaurent de fruits
Et goûtent un repos bien mérité, j'en jure.
La nuit tombe, et dame Nature
Leur offrant le couvert et l'hospitalité,

Ils campent en ces lieux. À l'unanimité
Ils regagnent, dès le matin, leur domicile,
Jurant que les dangers,
Les risques, les malheurs au voyage prêté
Ne sont que rumeurs imbéciles.

Quand l'aventure vous invite,
Pourquoi l'amour lui sacrifier ?
Si les deux cohabitent,
Ils engendrent la joie et la sécurité.

L'Âne et ses Maîtres

L'Âne d'un jardinier se plaignait au Destin
De ce qu'on le faisait lever devant l'aurore.
« Les coqs, lui disait-il, ont beau chanter matin,
Je suis plus matineux encore.
Et pourquoi ? pour porter des herbes au marché :
Belle nécessité d'interrompre mon somme ! »
Le Sort, de sa plainte touché,
Lui donne un autre Maître, et l'animal de somme
Passe du jardinier aux mains d'un corroyeur.
La pesanteur des peaux et leur mauvaise odeur
Eurent bientôt choqué l'impertinente bête.
« J'ai regret, disait-il, à mon premier seigneur :
Encor, quand il tournait la tête,
J'attrapais, s'il m'en souvient bien,
Quelque morceau de chou qui ne me coûtait rien ;
Mais ici point d'aubaine ; ou, si j'en ai quelqu'une,
C'est de coups. » Il obtint changement de fortune,
Et sur l'état d'un charbonnier
Il fut couché tout le dernier.
Autre plainte. « Quoi donc ? dit le Sort en colère,

Ce baudet-ci m'occupe autant
Que cent monarques pourraient faire.
Croit-il être le seul qui ne soit pas content ?
N'ai-je en l'esprit que son affaire ? »
Le Sort avait raison. Tous gens sont ainsi faits :
Notre condition jamais ne nous contente ;
La pire est toujours la présente ;
Nous fatiguons le Ciel à force de placets.
Qu'à chacun Jupiter accorde sa requête,
Nous lui romprons encor la tête.

L'Âne alors dit au Ciel : « De mes protestations
Mon état est seul responsable.
Animal domestique, est-ce un sort enviable ?
On m'attache, on me bat, et de mille façons
On m'humilie. Il faut que je travaille
Quand la fatigue me tenaille.
On me nourrit mal, et je suis,
Quelque maître que j'aie, exploité et meurtri.
Dois-je accepter tel outrage en silence
Pour moi et pour ma descendance ? »
Jupiter fit le sourd, la rébellion n'est pas
Dans l'Olympe de bon aloi :
Les dieux furent toujours des maîtres le soutien,
Étant eux-mêmes souverains ;

Jamais l'un d'eux aux révoltes d'esclaves
N'accorda son aval. Le sachant, l'Âne alors
Rompt son licol et ses entraves
Et prend le large. Il court encor.

La liberté est un droit légitime,
Nul n'a sur son épaule à supporter le bât
Ni d'un dieu, ni d'un homme, encor moins d'un régime.
De son destin chacun est seul maître ici-bas.

Le Laboureur et ses Enfants

Travaillez, prenez de la peine :
C'est le fonds qui manque le moins.

Un riche Laboureur, sentant sa mort prochaine,
Fit venir ses Enfants, leur parla sans témoins.
« Gardez-vous, leur dit-il, de vendre l'héritage
Que nous ont laissé nos parents :
Un trésor est caché dedans.
Je ne sais pas l'endroit ; mais un peu de courage
Vous le fera trouver : vous en viendrez à bout.
Remuez votre champ dès qu'on aura fait l'Oût :
Creusez, fouillez, bêchez ; ne laissez nulle place
Où la main ne passe et repasse. »
Le Père mort, les Fils vous retournent le champ,
Deçà, delà, partout : si bien qu'au bout de l'an
Il en rapporta davantage.
D'argent, point de caché. Mais le Père fut sage
De leur montrer, avant sa mort,
Que le travail est un trésor.

L'un des fils, cependant,
N'est pas dupe de l'artifice.
Est-il moins courageux ou plus intelligent
Que ses frères ? A-t-il plus de malice ?
Je ne sais, mais un beau matin
À creuser le sillon voilà qu'il se refuse.
« Mes ambitions, dit-il en manière d'excuse,
Me poussent vers d'autres destins.
Rechercher un trésor en labourant la terre,
(Qu'il soit imaginaire ou réel) peu me chaut,
C'est d'une autre manière
Que je veux employer mon temps. » Et sur ces mots,
De son père défunt quittant le domicile
Il s'en va vers la ville.
Quand il revient, vingt ans se sont passés.
Il avait du talent, il a su l'exploiter
Et s'est battu longtemps pour faire enfin carrière
Dans l'art. On n'y gagne que peu
Mais l'âme s'y élève. Et c'est un homme heureux
Qui retourne à ses frères.
Ceux-ci sont gros et gras ; bons vins et bonne chère
Sont leur lot quotidien.
La fortune engendrant l'honneur, au bourg voisin
Ils sont hauts dignitaires.
Ils possèdent bétail et valets à foison,

Et les plus grands seigneurs fréquentent leur maison,
Les courtisanes les plus belles.
« Que n'as-tu partagé nos luttes et nos gains ! »
Disent-ils en riant à celui qui revient.
« Vois, nos saloirs sont pleins, et de nos escarcelles
L'or durement acquis déborde maintenant.
Toi qui, impudemment,
Jadis, rejetas sans ambages
Notre paternel héritage,
Tu es pauvre ! » Et pensant que le ciel l'a puni
Ces riches exploitants le couvrent de lazzis.
Mais l'autre de répondre avec impertinence
Qu'il ne jalouse pas une telle abondance,
Qu'échanger tous ces biens contre sa liberté
Lui semble un prix trop élevé,
Et qu'il n'a nulle envie
De renier la voie qu'il a choisie.
Sur ce, tournant le dos aux bombances des siens,
Il retourne à son humble fief, le cœur serein.

Ce qui est bon pour l'un pour l'autre ne l'est point.
Si certains sur l'avoir fondent leur existence
Il en est qui, par chance,
Se plaisent à poursuivre un plus noble dessein.

Les Femmes et le Secret

Rien ne pèse tant qu'un secret :
Le porter loin est difficile aux dames ;
Et je sais même sur ce fait
Bon nombre d'hommes qui sont femmes.

Pour éprouver la sienne un mari s'écria,
La nuit, étant près d'elle : « Ô Dieux ! qu'est-ce cela ?
Je n'en puis plus ! on me déchire !
Quoi ? j'accouche d'un œuf ! — D'un œuf ? — Oui,
[le voilà,
Frais et nouveau pondu. Gardez bien de le dire.
On m'appellerait poule ; enfin n'en parlez pas. »
La femme, neuve sur ce cas,
Ainsi que sur mainte autre affaire,
Crut la chose, et promit ses grands dieux de se taire.
Mais ce serment s'évanouit
Avec les ombres de la nuit.
L'épouse, indiscrète et peu fine,
Sort du lit quand le jour fut à peine levé ;
Et de courir chez sa voisine.
« Ma commère, dit-elle, un cas est arrivé ;

N'en dites rien surtout, car vous me feriez battre :
Mon mari vient de pondre un œuf gros comme quatre.
Au nom de Dieu, gardez-vous bien
D'aller publier ce mystère.
— Vous moquez-vous ? dit l'autre : ah ! vous ne savez
[guère
Quelle je suis. Allez, ne craignez rien. »
La femme du pondeur s'en retourne chez elle.
L'autre grille déjà de conter la nouvelle ;
Elle va la répandre en plus de dix endroits ;
Au lieu d'un œuf, elle en dit trois.
Ce n'est pas encor tout ; car une autre commère
En dit quatre, et raconte à l'oreille le fait :
Précaution peu nécessaire,
Car ce n'était plus un secret.
Comme le nombre d'œufs, grâce à la renommée,
De bouche en bouche allait croissant,
Avant la fin de la journée
Ils se montaient à plus d'un cent.

Chacun veut voir le phénomène,
On se déplace de partout
Pour admirer des pondeuses la reine.
(Bien que, de la nature ayant bravé les lois,
Cette reine-là fût un roi !)
L'épouse alors dit à l'époux :

« Je ne suis pas coupable, on a dû vous surprendre
Par quelque trou du toit tandis que vous pondiez !
Il ne vous reste plus qu'à vous exécuter
En exhibant, sans plus attendre,
Au public attiré par cet événement
Le curieux produit de vos accouchements. »
Résigné, le mari présente l'œuf aux foules.
Mais l'on proteste haut et fort. « L'homme nous roule,
Dit-on, il pond plus de cent œufs
Et ne nous en fait voir qu'un seul, quelle impudence !
Sans tarder, il faut qu'on le tance ! »
S'en prenant alors aux curieux
Le mari se fâche, s'emporte,
Et s'armant d'un tromblon met son monde à la porte.
Mais la rumeur persiste et durera longtemps ;
Dorénavant du doigt on montrera ces gens.

Il est tant de ragots dans notre société
N'ayant ni cul ni tête
Qu'à côté d'eux celui que je viens de conter
Ne semble pas, ma foi, si bête.
Pour qui s'en donne les moyens :
Presse, radio, télé, politiciens,
Faire à n'importe qui croire n'importe quoi
Ne frise point le ridicule
Car le public est si crédule
Qu'aux plus folles rumeurs il accorde sa foi.

Les Grenouilles qui demandent un Roi

Les Grenouilles se lassant
De l'état démocratique,
Par leurs clameurs firent tant
Que Jupin les soumit au pouvoir monarchique.
Il leur tomba du ciel un Roi tout pacifique :
Ce Roi fit toutefois un tel bruit en tombant,
Que la gent marécageuse,
Gent fort sotte et fort peureuse,
S'alla cacher sous les eaux,
Dans les joncs, dans les roseaux,
Dans les trous du marécage,
Sans oser de longtemps regarder au visage
Celui qu'elles croyaient être un géant nouveau.
Or c'était un soliveau,
De qui la gravité fit peur à la première
Qui, de le voir s'aventurant,
Osa bien quitter sa tanière.
Elle approcha, mais en tremblant ;
Une autre la suivit, une autre en fit autant :
Il en vint une fourmilière ;

Et leur troupe à la fin se rendit familière
Jusqu'à sauter sur l'épaule du Roi.
Le bon sire le souffre, et se tient toujours coi.
Jupin en a bientôt la cervelle rompue :
« Donnez-nous, dit ce peuple, un roi qui se remue. »
Le monarque des dieux leur envoie une grue,
Qui les croque, qui les tue,
Qui les gobe à son plaisir ;
Et Grenouilles de se plaindre,
Et Jupin de leur dire : « Eh quoi ? votre désir
À ses lois croit-il nous astreindre ?
Vous avez dû premièrement
Garder votre gouvernement ;
Mais, ne l'ayant pas fait, il vous devait suffire
Que votre premier roi fût débonnaire et doux :
De celui-ci contentez-vous,
De peur d'en rencontrer un pire. »

Un Crapaud qui passait par là
Ayant beaucoup voyagé sur la terre
S'indigna du piteux état
De cette gent pour le moins singulière.
À l'insu de son dictateur,
Il convoque le peuple, et de ces mots le tance :
« Vous avez fait erreur
En vous en remettant aux divines instances

Pour gérer votre société.
Il faut vous ressaisir !
Vous, et vous seuls, êtes habilités
À instaurer votre avenir !
Allez-vous supporter longtemps la tyrannie
Dont vous fit don le ciel en sa sombre ironie ?
Croyez-moi, seul un coup d'État
Peut mettre fin à vos tracas. »
Une Reinette alors prend la parole :
« N'étant point combattants, mais de race frivole,
Comment nous y prendrions-nous ? »
Le Crapaud, finement, suggère un stratagème :
« Si vous étiez courageux, même,
Vous ne pourriez venir à bout,
Par la force, de cette Grue,
Car cette majesté goulue
Aurait tôt fait, du bec, de vous exterminer.
Disparaissez plutôt, afin de l'affamer.
Demeurer seul dans la mare déserte
Du prédateur étant la perte,
Il s'en ira chercher plus loin
Lieu propice à calmer sa faim. »
On l'écouta. Après quelques jours de disette
L'oiseau, le ventre creux, s'exila bel et bien.
En coassant, les batraciens
Sortent alors de leur cachette
Et font triomphe à leur sauveur.

« Il faut que vous soyez notre roi ! » dit en chœur
(De la servilité donnant toutes les marques)
Le peuple à présent sans monarque.
« Que nenni ! répond le Crapaud,
Du pouvoir absolu vous expérimentâtes
Par deux fois les défauts.
Par quelle fantaisie mettez-vous tant de hâte
À tenter à nouveau le sort ?
Et si mon règne à moi s'avérait pire encor ? »
Devant tant de bon sens, les Grenouilles s'inclinent
Et décident de retourner
À la démocratie, leur état d'origine,
Et de n'en plus changer.

L'Âne et le petit Chien

Ne forçons point notre talent,
Nous ne ferions rien avec grâce :
Jamais un lourdaud, quoi qu'il fasse,
Ne saurait passer pour galant.
Peu de gens, que le ciel chérit et gratifie,
Ont le don d'agréer infus avec la vie.
C'est un point qu'il leur faut laisser,
Et ne pas ressembler à l'Âne de la fable,
Qui, pour se rendre plus aimable
Et plus cher à son maître, alla le caresser.
« Comment ? disait-il en son âme,
Ce Chien, parce qu'il est mignon,
Vivra de pair à compagnon
Avec Monsieur, avec Madame ;
Et j'aurai des coups de bâton ?
Que fait-il ? il donne la patte ;
Puis aussitôt il est baisé :
S'il en faut faire autant afin que l'on me flatte,
Cela n'est pas bien malaisé. »
Dans cette admirable pensée,

Voyant son maître en joie, il s'en vient lourdement,
Lève une corne toute usée,
La lui porte au menton fort amoureusement,
Non sans accompagner, pour plus grand ornement,
De son chant gracieux cette action hardie.
« Oh ! oh ! quelle caresse ! et quelle mélodie !
Dit le maître aussitôt. Holà, Martin-bâton ! »
Martin-bâton accourt : l'âne change de ton.
Ainsi finit la comédie.

Par bonheur, l'épouse du maître
Tout aussitôt vient à paraître.
Elle s'étonne, en voyant son mari
Lever Martin-bâton sur l'animal marri.
« Quel crime a commis cette bête
Pour mériter votre courroux ?
— Il m'a caressé, dit l'époux.
— Cela vaut-il qu'on le soufflette ?
En ce cas, battez-moi aussi
Car, souvenez-vous, cette nuit,
Je n'ai point ménagé ma peine !
— Et vous fîtes fort bien, ma reine,
Rétorque en riant le mari,
Car vous êtes belle et légère !
Mais du sot lourdaud que voici

Je n'accepte point ces manières !
— Quoi, parce qu'il est vieux et laid, cet animal
Ne mérite pas qu'on le considère ?
S'écrie alors cette dame en colère,
À mes baisers, répondrez-vous si mal
Quand je serai quinquagénaire ? »

Aimer un gracieux visage
N'offre aucune difficulté,
Mais apprécier les avantages
D'un être sans attrait, sans charme et sans beauté
En présente bien davantage.
Faire fi de tout préjugé
Des nobles cœurs est l'apanage.

Le Geai paré des plumes du Paon

Un Paon muait ; un Geai prit son plumage ;
Puis après se l'accommoda ;
Puis parmi d'autres Paons tout fier se panada,
Croyant être un beau personnage.
Quelqu'un le reconnut : il se vit bafoué,
Berné, sifflé, moqué, joué,
Et par Messieurs les Paons plumé d'étrange sorte ;
Même vers ses pareils s'étant réfugié,
Il fut par eux mis à la porte.

Il est assez de geais à deux pieds comme lui,
Qui se parent souvent des dépouilles d'autrui,
Et que l'on nomme plagiaires.
Je m'en tais, et ne veux leur causer nul ennui :
Ce ne sont pas là mes affaires.

Tous les escrocs, hélas ! n'ont pas le sort du Geai,
Et j'en connais de si habiles

Que nul Paon jusqu'ici n'a su les démasquer.
Certains même portaient avecque tant de style
La défroque d'autrui
Qu'on disait d'eux : « Regardez celui-ci,
C'est le plus beau de tous. » Ils connurent la gloire,
En déployant leurs atouts dérisoires
Sous les yeux éblouis de leurs pairs abusés.
Tel s'est illustré dans la politique
Déguisé en homme de bien
Et gruge ses concitoyens
Sans qu'aucun d'eux ne le critique.
De la plus grande intégrité
Tel autre a l'apparence ;
Chacun croit qu'il écrit en son âme et conscience
Dans la presse. En réalité
Il ment car on l'affecte à tromper ses lecteurs.
Tel patron semble avoir du cœur,
Prône à tout va l'égalité
Mais exploite ses ouvriers.

La société est ainsi faite
Qu'un trompeur peu adroit risque gros à tromper :
On le démasque, on le traque, on l'arrête,
On se plaît à l'humilier.
Mais un escroc ayant de la notoriété
Fait sa place au soleil sans que nul ne s'inquiète.
Et de sa bonne foi, qui oserait douter ?

Le Lièvre et les Grenouilles

Un Lièvre en son gîte songeait
(Car que faire en un gîte, à moins que l'on ne songe ?)
Dans un profond ennui ce Lièvre se plongeait :
Cet animal est triste, et la crainte le ronge.
« Les gens de naturel peureux
Sont, disait-il, bien malheureux.
Ils ne sauraient manger morceau qui leur profite ;
Jamais un plaisir pur ; toujours assauts divers.
Voilà comme je vis : cette crainte maudite
M'empêche de dormir, sinon les yeux ouverts.
— Corrigez-vous, dira quelque sage cervelle.
— Et la peur se corrige-t-elle ?
Je crois même qu'en bonne foi
Les hommes ont peur comme moi. »
Ainsi raisonnait notre Lièvre,
Et cependant faisait le guet.
Il était douteux, inquiet :
Un souffle, une ombre, un rien, tout lui donnait la
[fièvre.
Le mélancolique animal,

En rêvant à cette matière,
Entend un léger bruit : ce lui fut un signal
Pour s'enfuir devers sa tanière.
Il s'en alla passer sur le bord d'un étang.
Grenouilles aussitôt de sauter dans les ondes ;
Grenouilles de rentrer en leurs grottes profondes.
« Oh ! dit-il, j'en fais faire autant
Qu'on m'en fait faire ! Ma présence
Effraie aussi les gens ! je mets l'alarme au camp !
Et d'où me vient cette vaillance ?
Comment ? des animaux qui tremblent devant moi !
Je suis donc un foudre de guerre !
Il n'est, je le vois bien, si poltron sur la terre
Qui ne puisse trouver un plus poltron que soi. »

La Grenouille ayant eu grand crainte
Du Lièvre qui passait, guetta, du fond des eaux,
Qu'il était bien parti, puis jaillit à nouveau
Vers le soleil auquel elle adressa ces plaintes :
« Nous, gens d'étangs et de marais
Sommes pauvrement faits.
Tout nous effraie : une feuille qui tombe,
Un gibier de passage, un envol de Colombe,
Et jusqu'aux brises de l'été
Faisant mouvoir les plantes aquatiques.
Quelle enviable vie, ô ciel, que celle-là ! »

Et ce disant, la bête entre les joncs sauta
Afin de gober un Moustique.
Mais cette proie, lui échappant,
S'envola vers le firmament
Protester qu'elle aussi était bien menacée :
On la voulait manger, la belle destinée !
Les dieux, dans leur clémence,
Eussent pu de sa race augmenter les défenses,
Ou accroître la taille, ou modifier l'aspect
De sorte qu'on lui porte un peu plus de respect !
L'insecte, à cet instant, avise une fermière
Passant sur le sentier voisin.
Cet animal ayant très faim
Cherche bien vite à lui soustraire
Un peu de sang. Mais la femme aussitôt
De s'écrier, en protégeant sa peau,
« Que ces lieux sont malsains ! » De sorte
Qu'elle se sauve et retourne au logis
Retrouver son mari
Sur qui elle s'emporte
Car du Moustique l'agression
Lui a fait monter la tension.
« Si tu veux déjeuner d'un civet, crie-t-elle,
Il serait temps de prendre ton fusil
Et d'aller à la chasse ! » À ces mots, le mari
S'empresse d'obéir, car il craint la querelle.

Le Lièvre, au fond de son terrier,
N'aura plus loisir de songer.

La peur est le lot de ce qui respire ;
Chacun d'entre nous est tout à la fois
Le prédateur et la bête aux abois.
Jusqu'au plus haut niveau l'inquiétude fait loi :
Il n'est maître d'empire
Qui des complots ne connaisse l'effroi.
Le destin d'un Lièvre est-il pire
Que le destin d'un roi ?

La Tortue et les deux Canards

Une tortue était, à la tête légère,
Qui, lasse de son trou, voulut voir le pays.
Volontiers on fait cas d'une terre étrangère ;
Volontiers gens boiteux haïssent le logis.
Deux canards, à qui la commère
Communiqua ce beau dessein,
Lui dirent qu'ils avaient de quoi la satisfaire.
Voyez-vous ce large chemin ?
Nous vous voiturerons, par l'air, en Amérique :
Vous verrez mainte république,
Maint royaume, maint peuple ; et vous profiterez
Des différentes mœurs que vous remarquerez.
Ulysse en fit autant. On ne s'attendait guère
De voir Ulysse en cette affaire.
La tortue écouta la proposition.
Marché fait, les oiseaux forgent une machine
Pour transporter la pèlerine.
Dans la gueule, en travers, on lui passa un bâton.
Serrez bien, dirent-ils, gardez de lâcher prise.
Puis chaque canard prend ce bâton par un bout.

La tortue enlevée, on s'étonne partout
De voir aller en cette guise
L'animal lent et sa maison,
Justement au milieu de l'un et l'autre oison.
Miracle ! criait-on : venez voir dans les nues
Passer la reine des tortues. —
La reine ! vraiment oui : je la suis en effet ;
Ne vous en moquez point. Elle eût beaucoup mieux fait
De passer son chemin sans dire aucune chose ;
Car, lâchant le bâton en desserrant les dents,
Elle tombe, elle crève aux pieds des regardants.
Son indiscrétion de sa perte fut cause.

Imprudence, babil, et sotte vanité,
Et vaine curiosité,
Ont ensemble étroit parentage.
Ce sont enfants tous d'un lignage.

Les spectateurs de l'aventure
N'étant point dépourvus de cœur
(Railler l'être qui tombe est le fait de natures
Sans générosité. Que dis-je ? Sans honneur.
Ce ne fut pas le cas), on s'empresse, on emporte
La malheureuse bête. Et lorqu'on s'aperçoit
Qu'il lui reste un soupçon de vie, on la transporte
Au plus proche hôpital. Des soins adroits

La remettent sur pied. Sitôt convalescente,
Notre aventurière se prend
D'un bien étrange sentiment :
« J'ai goûté au bonheur, se plaint-elle, dolente,
J'ai défié le ciel et la malédiction
Qui, en dépit de nos aspirations
À tout jamais nous lie,
Nous, rampants, au sol nourrissier.
Quel sens a désormais ma vie
Si je ne puis recommencer ? »
L'expérience, dit-on, forme l'intelligence,
Tout échec bien compris érige l'avenir.
L'opiniâtre animal se plaît à réfléchir.
À l'entreprise, à ses fâcheuses conséquences,
À ses chances de réussite, à ses dangers,
Et aux moyens d'y remédier.
Cet effort n'est pas vain : d'adroites solutions
Souventes fois nous apparaissent
Quand du passé on tire les leçons.
Donc, l'animal se dit : « Mon tort, je le confesse,
Fut de tenter d'utiliser
Ma bouche à ces deux fins : me suspendre et parler,
Bref, user d'un outil pour deux fonctions contraires.
Il me fallait choisir : ou voler, ou me taire.
La nature m'ayant fait don
De la parole, était-il raisonnable
Que, dédaignant ce présent admirable,

J'opte pour le silence ? Il me semble que non.
Étant d'un naturel affable,
J'eusse, en ne parlant pas, outragé mes semblables.
Là ne fut point l'erreur, mais dans la conception
Du moyen de locomotion.
Notre tortue au problème s'attèle
Et le résout. Un panier qui traînait
L'inspire : elle en fait aussitôt sa nacelle.
Passant dans l'anse un bâtonnet,
Elle enjoint aux canards de prendre leur envol
Ce bâton dans le bec, renouvelant l'exploit
Qui faillit jadis la tuer. Mais cette fois,
C'est un abri d'osier qui va quitter le sol.
Telle un pacha, Dame Tortue y a pris place
Et, en sécurité, évolue dans l'espace.
De la sorte, parler ne représentant pas
Un risque de trépas
Pour l'astucieuse passagère,
Celle-ci ne s'en prive guère
Et commente avec force mots
La prouesse. D'en-bas, chacun lui dit bravo.
Ainsi naquit la montgolfière
Qui de l'astronautique est mère.

L'audace, l'imprudence et la curiosité
Quoiqu'en pensent certains ne sont point illicites.
C'est en dépassant ses propres limites
Que progresse l'humanité.

Le Pot de terre et le Pot de fer

Le pot de fer proposa
Au pot de terre un voyage.
Celui-ci s'en excusa,
Disant qu'il ferait que sage
De garder le coin du feu :
Car il lui fallait si peu,
Si peu, que la moindre chose
De son débris serait cause :
Il n'en reviendrait morceau.
Pour vous, dit-il, dont la peau
Est plus dure que la mienne,
Je ne vois rien qui vous tienne. .
Nous vous mettrons à couvert,
Repartit le pot de fer :
Si quelque matière dure
Vous menace d'aventure,
Entre deux je passerai,
Et du coup vous sauverai.
Cette offre le persuade.
Pot de fer son camarade

Se met droit à ses côtés.
Mes gens s'en vont à trois pieds,
Clopin clopant comme ils peuvent,
L'un contre l'autre jetés
Au moindre hoquet qu'ils treuvent.
Le pot de terre en souffre ; il n'eut pas fait cent pas
Que par son compagnon il fut mis en éclats,
Sans qu'il eût lieu de se plaindre.

Ne nous associons qu'avecque nos égaux ;
Ou bien il nous faudra craindre
Le destin d'un de ces pots.

Imaginons une autre fable :
Deux compagnons unissent leurs destins,
L'un est fort, l'autre ne l'est point.
Jamais êtres plus dissemblables
Ne se sont côtoyés. Pourtant, main dans la main
Ils suivent le même chemin,
Échangeant des propos aimables,
Et chacun à l'autre est indispensable.
Sans heurts, me direz-vous ? Sans heurts, j'en fais
[serment.
Nos associés sont gens de cœur. À tout instant,
L'un de l'autre ils se préoccupent.
Le plus faible a-t-il faim sans oser l'avouer ?

Le plus fort n'est pas dupe
Et s'empresse à l'alimenter.
Le plus fort couve-t-il quelque secrète peine ?
Toute affaire cessante, on le vient consoler.
Bref, oncque ne connut plus touchante amitié.
Voulez-vous savoir, vous qui me lisez
Qui sont ces deux amis ? Un sucrier d'acier
Et sa tasse de porcelaine.

La vie à deux n'est que ce qu'on en fait :
Ici l'on se respecte et l'accord est parfait,
Là, le rapport de force prime, on se déchire.
Le couple est ce qu'on voit de meilleur ou de pire
Ou un duel, ou un duo.
L'entraide érige des empires
Que la querelle excelle à déconstruire,
Et s'ébrécher l'un l'autre est affaire de sots.

La Grenouille qui veut se faire aussi grosse que le Bœ

Une grenouille vit un bœuf
Qui lui sembla de belle taille.
Elle, qui n'était pas grosse en tout comme un œuf,
Envieuse, s'étend, et s'enfle, et se travaille
Pour égaler l'animal en grosseur,
Disant : Regardez bien, ma sœur ;
Est-ce assez ? dites-moi ; n'y suis-je point encore ? —
Nenni. — M'y voici donc ? — Point du tout. — M'y
[voilà ? —
Vous n'en approchez point. La chétive pécore
S'enfla si bien qu'elle creva.

Le monde est plein de gens qui ne sont pas plus sages :
Tout bourgeois veut bâtir comme les grands seigneurs
Tout petit prince a des ambassadeurs,
Tout marquis veut avoir des pages.

Nos sociétés sont ainsi faites
Qu'il vaut mieux, pour y vivre, être bœuf que reinette,

Prince que maraud, nanti qu'indigent.
Plus on y a de poids, mieux on s'y porte
Même si ce poids-là n'est autre que du vent !
Car pour une grenouille morte,
Combien de batraciens bouffis de prétention
Ayant, eux, survécu, emplissent les salons,
Les cours, les parlements et les académies ?
Cette course au pouvoir, aux honneurs, à l'argent,
D'aucuns y ont laissé — y laisseront — leur vie :
S'enfler est périlleux pour bon nombre de gens !
Mais qu'un sage demeure en marge de la secte,
Qu'il ose dédaigner les valeurs de son temps,
On s'en méfie, on le suspecte,
On le dit asocial, inadapté, dément.
Une grenouille maigre ? Holà, le vil insecte !
Il faut l'écraser vivement !

Hélas, qu'a fait l'animal de la fable
Sinon tenter de s'adapter
À cet univers effroyable ?
Et qui oserait l'en blâmer ?

Le vieux Chat et la jeune Souris

Une jeune souris, de peu d'expérience,
Crut fléchir un vieux chat, implorant sa clémence,
Et payant de raisons le Raminagrobis :
Laissez-moi vivre : une souris
De ma taille et de ma dépense
Est-elle à charge en ce logis ?
Affamerais-je, à votre avis,
L'hôte et l'hôtesse, et tout leur monde ?
D'un grain de blé je me nourris :
Une noix me rend toute ronde.
À présent je suis maigre ; attendez quelque temps :
Réservez ce repas à messieurs vos enfants.
Ainsi parlait au chat la souris attrapée.
L'autre lui dit : Tu t'es trompée :
Est-ce à moi que l'on tient de semblables discours ?
Tu gagnerais autant de parler à des sourds.
Chat, et vieux, pardonner ! cela n'arrive guères.
Selon ces lois, descends là-bas,
Meurs, et va-t'en, tout de ce pas,
Haranguer les sœurs filandières.

Mes enfants trouveront assez d'autres repas.
Il tint parole. Et pour ma fable
Voici le sens moral qui peut y convenir :

La jeunesse se flatte et croit tout obtenir,
La vieillesse est impitoyable.

Ouvrant sa gueule menaçante,
Notre chat, sur le point d'engloutir l'insolente,
S'arrête en plein élan,
À son âge, on fait des bilans,
On bride ses instincts, on pense, on se questionne.
Agir avec discernement
Est le propre des cheveux blancs ;
La jeunesse entreprend, la vieillesse raisonne.
Donc, Raminagrobis se dit, en son jargon :
« J'ai, de tout temps, croqué la gent rongeuse
Sans remettre en question
Mes appétits. Pourtant, c'est chose affreuse
Que mourir de cette façon.
Les pleurs de ma victime en sont assez la preuve.
Soumettons-nous à une épreuve :
Changeons de rôle en imagination. »
Il le fit. L'effort était considérable !
Voici notre matou qui joue à la souris
Et trouve ce sort effroyable.

Subitement, le prédateur
Se lamente, s'émeut, geint et tremble de peur.
« Il m'a fallu, dit-il, devenir vénérable
Pour que mes yeux s'ouvrent enfin
Et que je comprenne à quel point
Mon attitude était coupable !
Que n'ai-je fait plus tôt ces sages réflexions,
Car la face du monde en eût été changée !
Combien de rats, de rates, de ratons
Eussent vu leur vie épargnée ? »
Puis s'adressant à la souris
Qui, par ses discours et ses cris
De cette vérité lui a donné conscience :
« Va sans crainte, dit-il, car de mon existence,
Je n'occirai plus ni toi, ni les tiens.
Mon remords est tardif mais sincère, il me vient
D'avoir un instant mise en cause
La légitimité de mon pouvoir. Les choses
En ce monde iraient plus avant
Si tout potentat en faisait autant. »

La jeunesse a des arguments
Que la vieillesse doit entendre.
Car si l'une de l'autre a beaucoup à apprendre
L'inverse est vrai également.

Le Cochon, la Chèvre et le Mouton

Une chèvre, un mouton, avec un cochon gras,
Montés sur même char, s'en allaient à la foire.
Leur divertissement ne les y portait pas ;
On s'en allait les vendre, à ce que dit l'histoire :
Le charton n'avait pas dessein
De les mener voir Tabarin.
Dom pourceau criait en chemin
Comme s'il avait eu cent bouchers à ses trousses :
C'était une clameur à rendre les gens sourds.
Les autres animaux, créatures plus douces,
Bonnes gens, s'étonnaient qu'il criât au secours ;
Ils ne voyaient nul mal à craindre.
Le charton dit au porc : Qu'as-tu tant à te plaindre ?
Tu nous étourdis tous : que ne te tiens-tu coi ?
Ces deux personnes-ci, plus honnêtes que toi,
Devraient t'apprendre à vivre, ou du moins à te taire :
Regarde ce mouton ; a-t-il dit un seul mot ?
Il est sage. — Il est un sot,
Repartit le cochon : s'il savait son affaire,
Il crierait, comme moi, du haut de son gosier ;

Et cette autre personne honnête
Crierait tout du haut de sa tête.
Ils pensent qu'on les veut seulement décharger,
La chèvre de son lait, le mouton de sa laine :
Je ne sais pas s'ils ont raison ;
Mais quant à moi, qui ne suis bon
Qu'à manger, ma mort est certaine.
Adieu mon toit et ma maison.

Dom pourceau raisonnait en subtil personnage :
Mais que lui servait-il ? Quand le mal est certain,
La plainte ni la peur ne changent le destin ;
Et le moins prévoyant est toujours le plus sage.

En entendant crier leur compagnon,
Le mouton et la chèvre, étonnés, se concertent :
Et si le porc avait raison ?
Si leur naïveté les menait à leur perte ?
Si l'on avait projet à leurs jours d'attenter ?
Si maître charretier, plutôt que de soustraire,
La laine à l'un, et l'autre de la traire,
Les menait au boucher ?
Les voici aux aguêts. Ces bestiaux pacifiques
Pressentant le péril, se prennent à douter
De la main qui les a nourris. Un sens critique,
Qui leur faisait défaut, dans leur cervelle est né.

Et cette prise de conscience
Vous allez savoir comment, leur sauva l'existence.
Lorsque le charretier, pour livrer son bétail
Par-devant l'abattoir arrête la voiture,
Nos sires, à présent sûrs de sa forfaiture
Font front. La révolte enfle leur poitrail.
Un courage inconnu fait bouillonner leurs veines.
Le mouton rue à perdre haleine,
La chèvre, à coups de corne, assaille l'ennemi,
Du groin, le cochon le repousse aussi.
Tant et si bien que les compères
Unissant leurs efforts
Du joug du bourreau se libèrent.
Ils courent encor.

Bien souvent, à la clairvoyance
Nous préférons notre confort.
Ceux qui dénoncent haut et fort
De nos maîtres les manigances,
Et en détectent les dangers,
On s'obstine à les museler.
Que ne sommes-nous plus lucides !
Spéculations, pollution, génocides,
Crimes contre l'humanité,
Sont le fait de bouchers,
De charlatans, de démiurges,
Contre lesquels, hélas, nul bétail ne s'insurge.

TABLE

Avant-propos 7
Le Corbeau et le Renard 9
Le Lièvre et la Tortue 12
La Cigale et la Fourmi 16
Le Chat, la Belette et le petit Lapin 19
Le Héron 22
Le Savetier et le Financier 25
Les Animaux malades de la peste 29
Le Loup et l'Agneau 34
La Laitière et le Pot au lait 37
Le Loup et la Cigogne 40
Les deux Pigeons 43
L'Âne et ses Maîtres 49
Le Laboureur et ses Enfants 52
Les Femmes et le Secret 55
Les Grenouilles qui demandent un Roi 58
L'Âne et le petit Chien 62

Le Geai paré des plumes du Paon 65
Le Lièvre et les Grenouilles 67
La Tortue et les deux Canards 71
Le Pot de terre et le Pot de fer 75
La Grenouille qui veut se faire aussi grosse
que le Bœuf 78
Le vieux Chat et la jeune Souris 80
Le Cochon, la Chèvre et le Mouton 83

Post-Scriptum

En hiver, les rongeurs élisent domicile
Dans les garde-manger, et c'est manœuvre habile :
Ayant gîte et couvert, ils mènent grasse vie,
Entre sommeil et boulimie.
Une souris, n'ayant trouvé pour hiberner
Ni cave ni cellier,
Fut contrainte à loger dans un lieu moins commode :
Une bibliothèque. Il est parfois de mode
Chez ces animaux-là de manger du papier
Lorsque les aliments viennent à leur manquer.
C'est ce que fit notre commère.
Et tandis que le vent
Mugissait au-dehors de terrible manière
Et que grondait le firmament,
Elle s'emplit la panse.
Les souris sont parfois moins bêtes qu'on ne pense :
Celle-ci absorba de l'érudition
Et s'en trouva fort aise. Elle eut raison :
La lecture enrichit toujours qui s'en nourrit.
La Fontaine comptant parmi ses favoris,
La voilà qui savoure, et mâche, et se régale,
Pensant que nul festin n'égale
Les vers du Maître. Cependant,

En pleine volupté, il lui vient par instant
Un arrière-goût d'amertume.
« Qu'est cela ? se dit-elle, et d'où vient cette écume
Qui sur ma langue se répand ?
Est-ce le fait du temps ? »

D'un soupçon de sucre actuel,
Ma commère épiça cette œuvre impérissable,
Pour en atténuer le fiel.
Cela donna les contrefables.

Gudule

PAPIER À BASE DE
FIBRES CERTIFIÉES
Le Livre de Poche s'engage pour
l'environnement en réduisant
l'empreinte carbone de ses livres.
Celle de cet exemplaire est de :
150 g éq. CO_2
Rendez-vous sur
www.livredepoche-durable.fr

« Pour l'éditeur, le principe est d'utiliser des papiers composés de fibres naturelles, renouvelables, recyclables et fabriquées à partir de bois issus de forêts qui adoptent un système d'aménagement durable. En outre, l'éditeur attend de ses fournisseurs de papier qu'ils s'inscrivent dans une démarche de certification environnementale reconnue. »

Édité par la Librairie Générale Française - LPJ
(58 rue Jean Bleuzen, 92178 Vanves Cedex)

Composition Nord Compo
Achevé d'imprimer en Espagne par BLACK PRINT CPI IBERICA
Dépôt légal 1re publication juillet 2014
39.2225.5/02 - ISBN : 978-2-01-397124-9
Loi n° 49-956 du 16 juillet 1949 sur les publications destinées à la jeunesse
Dépôt légal : janvier 2016